algar
15 años

Últimos títulos publicados de Calcetín Amarillo - a partir de 8 años

39. *El hado Waldo.* Carmen Gil / Jesús López
43. *La noche de los animales.* Agustín Fernández Paz / Alberto Pieruz
48. *De la Tierra a Halley.* Lucía Baquedano / Susanna Campillo
53. *Los papeles del dragón típico.* Ignacio Padilla / Ana Ochoa
56. *El televisor mágico.* Braulio Llamero / Jacobo Fernández
61. *Alicia en el país del chocolate.* Xavier Mínguez / Ada García
63. *La máquina de los cuentos.* Carles Cano / Paco Giménez
73. *Tras los pasos de un zapato.* Javier Fonseca / Laura Chicote
74. *Nombres con sabor a verso.* Mª Dolors Pellicer / Jorge del Corral
76. *Olor a mamá.* Ricardo Alcántara / Montse Tobella
85. *Martina y los enredos del hada Amarilla.* Joaquina Barba / Anna Clariana
86. *El calcetín de los sueños.* Eulàlia Canal / Valentí Gubianas
88. *El país de los dragones.* Jordi Sierra i Fabra / Javi García
93. *Pastel de moras.* Javier Fonseca / Jaume Gubianas
94. *Las travesuras de Fito.* Susana Rico / David Guirao
95. *Las aventuras de Tachín.* Lucía Baquedano / Jacobo Fernández
100. *La tortuga Tranquila y otros cuentos.* Michael Ende / Alberto Pieruz

Existen unas *Propuestas didácticas* referidas a este libro que se pueden descargar de forma gratuita desde la página web www.algareditorial.com.

Tranquila Tragaleguas, la tortuga cabezota
Título original: *Tranquilla Trampeltreu, die beharrliche Schildkröte*

Filemón Arrugado
Título original: *Filemon Faltenreich*

Norberto Nucagorda o el rinoceronte desnudo
Título original: *Norbert Nackendick oder Das nackte Nashorn*

Traducción: Jesús Cortés Zarzoso, 2014
© Dibujos: Alberto Pieruz Quintana, 2014
© Algar Editorial
Apartado de correos 225 - 46600 Alzira
www.algareditorial.com
Diseño de la colección: Enric Solbes
Impresión: Romanyà-Valls

1.ª edición: septiembre, 2014
ISBN: 978-84-9845-637-0
Depósito legal: V-1882-2014

algar COLECCIÓN CALCETÍN

La tortuga Tranquila y otros cuentos

Michael Ende

Dibujos de Alberto Pieruz

TRANQUILA TRAGALEGUAS, LA TORTUGA CABEZOTA

Una hermosa mañana, la tortuga Tranquila Tragaleguas se encontraba en su pequeña y agradable guarida tomando el sol y comiéndose poco a poco una piel de plátano.

Por encima de ella, en las ramas de un viejo olivo, estaba la paloma Sulaica Pecho de Plata lustrándose su brillante plumaje. Entonces llegó su compañero, Salomón Pecho de Plata, le dedicó varias reverencias y exclamó:

–¡Oh, Sulaica, alegría de mi corazón!, ¿ya te has enterado? El Gran Sultán de todos los animales, Leo Vigésimo Octavo, va a celebrar su boda. ¡Así que pongámonos en marcha y volemos juntos a su cueva, luz de mis ojos!

–¡Oh, esposo y señor mío! –zureó la paloma–. ¿Es que estamos invitados?

–No te preocupes por eso, estrella de mi vida –le respondió Salomón Pecho de Plata mientras le dedicaba algunas reverencias más–, todos los animales, grandes y pequeños, jóvenes y viejos, gordos y delgados, de agua y de tierra, están invitados; así que nosotros también. Será la fiesta más bella que jamás haya existido. Pero tenemos que darnos prisa, porque el camino hasta la cueva del león es muy largo y la fiesta se celebrará pronto.

Sulaica asintió y las dos palomas se alejaron volando.

Tranquila Tragaleguas, que lo había oído todo, se puso a meditar tan profundamente que incluso se olvidó de acabarse el resto del desayuno.

«Si todos los animales, grandes y pequeños, jóvenes y viejos, gordos y delgados, de agua y de tierra, están invitados a la boda», se dijo Tranquila a sí misma, «entonces yo también lo debo de estar. Así pues, ¿por qué no tendría que ir yo a la fiesta más bella que se haya celebrado jamás?».

Tras haber reflexionado sobre ello durante todo el día y toda la noche, tomó una firme decisión.

Cuando apenas había salido el sol, se puso en camino paso a paso, sin prisa pero sin pausa.

Después de haber caminado durante casi todo el día, pasó junto a una zarza. Allí vivía la araña Fátima Pasahilos, en medio de su magnífica telaraña.

–¡Eh, Tranquila Tragaleguas! –le gritó la araña–, ¿adónde vas tan deprisa, si me permites la pregunta?

–¡Buenas tardes, Fátima Pasahilos! –contestó la tortuga, y se detuvo a tomar aliento–. Como ya sabes, nuestro Gran Sultán, Leo Vigésimo Octavo, ha invitado a todos los animales a su fiesta de boda. Por eso yo también voy.

Fátima Pasahilos cruzó sus largas patas delanteras sobre su cabeza y comenzó a lanzar tales risitas que toda la telaraña empezó a temblar sensiblemente.

–¡Oh, Tranquila! –exclamó al fin–, ¿cómo pretendes llegar allí si, de las tortugas lentas, tú eres la más lenta de todas?

–Paso a paso –contestó Tranquila.

–¿Y te has parado a pensar que la boda será dentro de quince días? –exclamó Fátima Pasahilos.

Tranquila se miró con confianza sus patas cortas y robustas y dijo:

–Llegaré a tiempo.

–¡Pero Tranquila! –exclamó la araña con tono compasivo–, ¡Tranquila Tragaleguas! Incluso para mí el camino resultaría demasiado largo, y eso que no solo tengo las patas más ágiles, sino que tengo dos más que tú. ¡Sé razonable! ¡Déjalo y vuelve a casa!

–Por desgracia, no es posible –respondió amablemente la tortuga–. Mi decisión está tomada.

–¡No hay peor sordo que el que no quiere oír! –dijo la araña, indignada, y siguió tejiendo su telaraña.

–Es verdad –respondió Tranquila–, así que, adiós, Fátima Pasahilos.

Y echó a andar lentamente. La araña rio con malicia y murmuró:

–¡No corras mucho, no sea que llegues demasiado pronto!

Pero Tranquila Tragaleguas siguió caminando a través de montañas y valles, por páramos y bosques, de noche y de día.

En cierta ocasión, al pasar junto a una pequeña laguna se detuvo a beber. Sobre una hoja de hiedra se encontraba el caracol Shahrazad Baboso, que miró a la tortuga completamente sorprendido.

–¡Buenos días! –dijo Tranquila con mucha amabilidad.

El caracol tardó un buen rato en salir de su asombro para poder contestarle.

–¡Cielos! –balbuceó con una lentitud extraordinaria–. ¡Tú sí que vas deprisa! Me mareo solo con mirarte.

–Voy a la boda de nuestro Gran Sultán, Leo Vigésimo Octavo –le explicó Tranquila.

Esta vez transcurrió todavía más tiempo antes de que Shahrazad pudiese ordenar sus viscosos pensamientos y balbuceara con esfuerzo:

–¡Caracoles, qué horror! Vas en la dirección equivocada.

Se puso a señalar hacia todas partes con sus cuernos, hecho un lío.

–¡Porallínoporalláquierodecirporaquí!... Poraquínohaciaalláhaciaelnortenoallá porque... ya que... –y se enredó sin remedio en su incomprensible explicación.

–No importa –dijo Tranquila–. Por lo menos ahora ya lo sé. ¿Por dónde decías que tengo que ir?

El caracol estaba tan liado que se metió en su caparazón y no volvió a salir hasta pasada media hora.

Tranquila esperó pacientemente hasta que Shahrazad volvió a salir.

–¡Santo cielo! –se lamentó el caracol–. ¡Qué desgracia! Debías haber ido hacia el sur y no hacia el norte. Tenías que haber ido en dirección contraria.

–¡Muchas gracias por la información! –respondió Tranquila, mientras se daba la vuelta poco a poco.

–¡Pero la fiesta será ya pasado mañana! –exclamó el caracol con voz llorosa.

–Seguro que llegaré a tiempo –dijo Tranquila.

–¡Imposible! –suspiró el caracol, y miró con desconsuelo a la tortuga–. ¡Eso es completamente imposible! Bueno, si desde el principio hubieses ido en la dirección correcta, puede. Pero ya no. Ahora será inútil. ¡Caracoles, qué horror!

–Si quieres acompañarme, puedes subir a mi caparazón –le propuso Tranquila.

Shahrazad Baboso bajó la mirada con resignación.

–No vale la pena. Ya es tarde, demasiado tarde. Nunca llegaríamos.

–Claro que sí –dijo Tranquila–. Paso a paso.

–Estoy muy triste –se lamentó el caracol–. ¡Quédate conmigo y consuélame!

–Por desgracia, no es posible –dijo Tranquila con amabilidad–. Tomé una decisión.

Y, tras decir esto, volvió a ponerse en marcha, solo que en dirección contraria. Shahrazad Baboso siguió mirándola durante mucho tiempo, con los ojos llorosos y haciéndole continuos gestos de súplica con los cuernos, para que se quedase con él.

De nuevo, la tortuga continuó caminando durante días en la dirección contraria a través de montañas y valles, por páramos y bosques, de noche y de día.

Finalmente se encontró con el lagarto Zacarías Decoroso, que dormitaba sobre una piedra soleada. Sus escamas, de un color verde esmeralda, brillaban como joyas. Al acercarse la tortuga, abrió un ojo, parpadeó y preguntó medio adormilado:

–¡Alto! ¿Quiénes sois? ¿De dónde venís? ¿Adónde vais?

–Me llamo Tranquila Tragaleguas –dijo la tortuga–, vengo del viejo olivo y quiero ir a la cueva del león.

Zacarías Decoroso bostezó.

–Vaya, vaya, ¿y qué se os ha perdido por allí?

–Voy a la boda de nuestro Gran Sultán, Leo Vigésimo Octavo, porque ha invitado a todos los animales, y eso me incluye a mí –contestó Tranquila.

Ahora Zacarías Decoroso abrió sorprendido el otro ojo y miró a la tortuga con condescendencia.

–¿Y cómo puede imaginarse una vulgar criatura que se arrastra por el polvo –dijo lentamente y arrastrando las palabras– que llegará a tiempo?

–Paso a paso –le contestó Tranquila.

Zacarías Decoroso se apoyó en los codos y tamborileó con los dedos.

–Vaya, vaya, ¿y con tanta calma pretendéis llegar a una boda que debería haberse celebrado hace una semana?

–¿Entonces no se celebró hace una semana? –preguntó Tranquila.

–No –contestó Zacarías, con pereza.

–Estupendo –dijo Tranquila con satisfacción–, pues entonces todavía llegaré a tiempo.

–¡Seguro que no! Como alto funcionario de la Corte Real declaro: la boda ha quedado provisionalmente aplazada. Leo Vigésimo Octavo tuvo que marchar de manera repentina a combatir en la guerra contra el tigre Zabulón Dientes de Sable. Así que podéis volver tranquilamente a casa.

–Por desgracia, no es posible –dijo Tranquila Tragaleguas–. Tomé una decisión.

Y, a continuación, dejó atrás al lagarto y siguió su camino.

Zacarías Decoroso se quedó absorto, mirando al frente y murmurando:

–A veces uno no sabe si... De verdad que a veces uno no sabe si...

Y de nuevo la tortuga siguió caminando durante días a través de montañas y valles, por páramos y bosques, de noche y de día.

Al pasar por un desierto pedregoso se encontró con un grupo de cuervos encaramados a un árbol seco, que parecían sumidos en oscuros pensamientos. Tranquila Tragaleguas se detuvo para preguntarles si iba por buen camino.

–¡Achís! –graznó uno de los cuervos antes de que la tortuga hubiese dicho nada.

–¡Salud! –exclamó Tranquila con amabilidad.

–No he estornudado –graznó el cuervo con aire sombrío–, solo me he presentado. Soy el sabio Achís Halef Habacuc.

–¡Oh, lo siento! –dijo ella–. Yo me llamo Tranquila Tragaleguas y no soy más que una simple tortuga. ¿Serías tan amable de decirme, sabio Habacuc, si voy por buen camino hacia la cueva de nuestro Gran Sultán, Leo Vigésimo Octavo? Es que estoy invitada a su boda.

Los cuervos se miraron los unos a los otros y tosieron significativamente.

–Claro que podría decírtelo –contestó Habacuc, y se rascó la cabeza con la garra–, pero ya no te serviría de nada. Lo cierto es que al lugar donde se encuentra ahora nuestro Gran Sultán no podemos llegar ni nosotros, los sabios. Así que, ¿cómo podrías llegar tú, una criatura corta de luces, ignorante y que se arrastra por el polvo?

–Paso a paso –respondió Tranquila.

De nuevo, los cuervos volvieron a mirarse y tosieron.

–¡Oh, criatura incapaz de reconocer la verdad! –graznó Habacuc con solemnidad–. Eso de lo que hablas pertenece al pasado. Y nadie puede volver al pasado.

–Seguro que llegaré a tiempo –dijo Tranquila con confianza.

–¡Imposible! –exclamó el sabio Habacuc con voz fúnebre–. ¿No ves que estamos de luto?

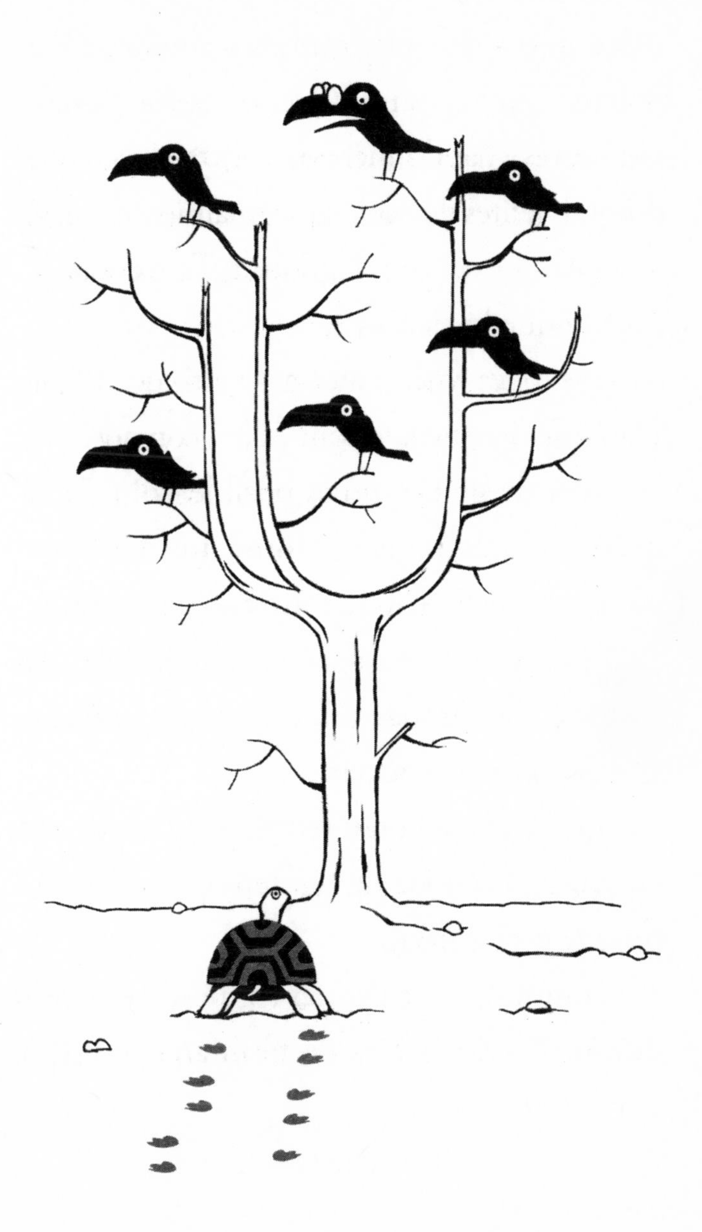

Hace pocos días enterramos a nuestro Gran Sultán, Leo Vigésimo Octavo. Sufrió heridas tan graves cuando luchaba contra el tigre Zabulón Dientes de Sable, que finalmente murió.

–¡Ah! –exclamó Tranquila Tragaleguas–, pues sí que lo siento.

–Así pues, vuelve a casa –continuó el sabio Habacuc–, o quédate aquí y llora con nosotros.

–Por desgracia, no es posible –dijo Tranquila con amabilidad–. Tomé una decisión.

Y, a continuación, continuó su camino.

Los cuervos se quedaron mirándola con gesto de desaprobación, después se juntaron y se pusieron a graznar:

–¡Qué persona tan terca! Se ha obstinado en acudir a la boda de alguien que hace tiempo que está muerto.

Tranquila Tragaleguas siguió caminando durante días a través de montañas y valles, por páramos y bosques, de noche y de día. Y por fin se adentró en un bosque de árboles floridos. En medio del bosque había un gran prado cubierto de flores. Y en este prado se habían reunido muchos animales, grandes y pequeños, jóvenes y viejos, gordos y delgados, de agua y de tierra, todos muy contentos y en actitud de esperar un gran acontecimiento.

–Eh, por favor –le preguntó Tranquila Tragaleguas a un pequeño mono que brincaba y daba palmas con las manos junto a ella–, ¿por dónde se va a la cueva de nuestro Gran Sultán?

–Pero si la tienes delante –contestó el mono (por cierto, se llamaba Yusuf Juguetón, aunque esto no es importante)–. ¡Allí delante está la entrada!

–¿Y es esta, quizá, la boda de nuestro Gran

Sultán, Leo Vigésimo Octavo? –preguntó Tranquila Tragaleguas con cautela.

–¡Qué va! –exclamó el pequeño mono–. ¡Realmente debes de venir de muy lejos! Como todo el mundo sabe, hoy se celebra la boda de nuestro nuevo sultán Leo Vigésimo Noveno.

En ese instante apareció en la entrada de la cueva un joven y magnífico león con una melena que brillaba como el sol. Y lo acompañaba una leona joven y preciosa. Y todos los animales gritaron «¡Viva!» y «¡Vivan los novios!», y entonces se pusieron a jugar y a bailar, comieron en abundancia y cantaron hasta altas horas de la madrugada. Y las luciérnagas brillaban y los ruiseñores y los grillos se encargaron de la música. En pocas palabras, fue realmente la fiesta más hermosa que nunca se había celebrado. Y entre los

invitados estaba Tranquila Tragaleguas, un poco cansada, eso sí, pero muy feliz, mientras decía:

–Siempre lo había dicho, que llegaría a tiempo.

FILEMÓN ARRUGADO

En medio de la selva india vivía un elefante muy viejo y muy sabio que se llamaba Filemón Arrugado. Acostumbraba a estar sobre sus cuatro patas, tan inmensas como columnas, a la orilla del río sagrado, y de vez en cuando se lanzaba un poco de arena blanca por la cabeza o tomaba una ducha fría para refrescarse; porque la Naturaleza, tan generosa, además de otros muchos regalos, lo había dotado de una ducha propia. De hecho, era evidente que la trompa era una parte del cuerpo muy útil y podía servir para muchas cosas. Filemón Arrugado se daba cuenta de ello cada día que pasaba con suma gratitud y alegría.

Nadie en el vecindario sabía con certeza cuánto tiempo hacía que Filemón vivía allí. Incluso las tortugas más viejas aseguraban que en sus recuerdos más lejanos siempre lo veían plantado en aquel lugar. Vamos, que nadie sabía cuál era realmente la edad de Filemón Arrugado. Y él mismo lo había olvidado; porque no se molestaba en perder el tiempo recordando cosas sin importancia. Él pensaba en cosas completamente diferentes. Era un filósofo.

Filemón Arrugado tenía un cuerpo extraordinariamente grande, y su piel tenía unas dimensiones todavía más generosas. Era tan abundante que sin duda habrían cabido cómodamente dentro de ella dos elefantes de su mismo tamaño.

En cambio, él vivía solo dentro de aquella piel inmensa, y por eso le colgaba llena de arrugas, lo que ciertamente causaba una gran sensación de opulencia. Pero él no se enorgullecía, sino que aceptaba tal abundancia como un nuevo regalo de la Naturaleza, con la que se sentía tan agradecido y satisfecho. Además, no le daba ninguna importancia a las apariencias; había reflexionado mucho tiempo y a conciencia sobre ello.

Ahora bien, como es natural, no creáis que siempre estaba quieto en el mismo lugar y sin moverse lo más mínimo.

En ocasiones se marchaba a dar un paseo por la selva; en parte, porque le entraban ganas de estirar un poco las patas, y en parte, también, porque pretendía coger los brotes tiernos y apetitosos de los árboles para zampárselos con sumo gusto. Incluso los filósofos necesitan comer un poco de vez en cuando, y precisamente a Filemón Arrugado le gustaban mucho los buenos manjares. Eso también le hacía sentirse agradecido y satisfecho.

Además era humilde y modesto. Tan modesto que, a pesar de su corpulencia extraordinaria, no suponía estorbo alguno para nadie. Todo lo contrario, la mayor parte de los animales que vivían en aquella orilla se habían acostumbrado a aprovechar a Filemón como si fuese una casa de verano cuando estaba allí de pie, a la orilla del río sagrado. Cuando llovía, se protegían entre sus patas gruesas como columnas, y cuando caía un sol de justicia, tomaban el fresco bajo su sombra.

A Filemón Arrugado no le importaba que sacasen tal provecho de su existencia, siempre y cuando lo dejasen tranquilo y no le impidiesen pensar.

Seguramente, a estas alturas, queráis saber sobre qué cosas pensaba tanto Filemón Arrugado. Pues bien, le encantaban todos aquellos pensamientos que fuesen grandes y hermosos. Sobre todo, grandes; porque él también lo era, y no solo de cuerpo, sino también de espíritu.

Por ejemplo, cuando el cielo de terciopelo azul de la noche india se reflejaba en el agua que tenía a sus pies, Filemón Arrugado se emocionaba y pensaba con todo respeto: ¡la luna! Y ya no pensaba en nada más. Simplemente: ¡la luna! Y este era un pensamiento muy muy grande.

Filemón Arrugado balanceaba su poderosa cabezota de un lado a otro, se abanicaba suavemente con sus orejas enormes y se sentía pequeño e insignificante cuando se comparaba con los prodigios que cubrían el cielo nocturno, sentimiento que le llenaba el corazón de devoción y gozo.

Como es lógico, también tenía otros pensamientos sobre los cuales reflexionaba. Por ejemplo: ¡las flores! Este pensamiento era muy grande y muy bello. Era casi incomprensible, aunque pueda parecer que una flor sea a menudo pequeña y poco vistosa. Pero el tamaño exterior no significa nada. Filemón Arrugado lo sabía muy bien; por eso era tan discreto y modesto.

Por cierto, muchas veces tenía suficiente con un solo pensamiento, al que le dedicaba años y años; porque tenía la sensación de que el pensamiento se volvía cada vez más grande y más profundo a medida que pensaba en él. Y solo puedo tener la esperanza de que todos lo comprendáis y no os riáis, como hacían los monos que celebraban un congreso cien-

tífico permanente en las copas de los árboles por encima de la cabeza de Filemón Arrugado, y afirmaban que ellos acababan con estos pensamientos tan sencillos en un periquete.

Filemón Arrugado se limitaba a sonreír ante tales afirmaciones, se lanzaba un poco de arena blanca por la cabeza y no decía nada. Y es que la gente capaz de utilizar cuatro manos a la vez puede acabar con cualquier cosa y de cualquier manera, y cuesta mucho hacerle comprender que a menudo lo que hace falta no es acabar las cosas deprisa y corriendo. En cualquier caso, Filemón Arrugado no tenía intención alguna de hacerlo así. ¡Porque él era sabio!

Un poco más adelante, allá donde el río sagrado tuerce hacia la derecha formando un recodo, se había acumulado en la orilla un gran amasijo de algas podridas y otras

cosas bastante desagradables que las aguas habían arrastrado.

Aquel amasijo desprendía una peste extremadamente desagradable. Los animales de los alrededores se habrían alegrado muchísimo de poder librarse de aquel amasijo apestoso, pero lamentablemente aquello comportaba muchas dificultades. Porque lo cierto es que el amasijo estaba habitado y en él vivía una gran cantidad de inquilinos. Se trataba de una numerosa colonia de moscas de todas las clases y tamaños. Ni siquiera las propias moscas habían conseguido saber cuántos habitantes ocupaban aquella colonia (porque no sabían estarse quietas ni un instante y no dejaban de revolotear ni de mezclarse sin dejar de zumbar). Pero eran muchísimas, de eso no había duda alguna. Y como eran tantas, se sentían enormemente importantes.

–Somos los seres más importantes del mundo entero –solían decir–. Somos tantas que no se nos puede contar. Si, por ejemplo, un buen día decidiésemos que en el futuro la Tierra estuviese siempre a oscuras, nos resultaría muy fácil ocultar el sol. Que no lo hagamos demuestra que en realidad somos nosotras las que permitimos que el sol brille. ¡Y este es un gran favor que hacemos, por lo que el resto de los animales del mundo nos tendría que besar las seis patas a cada una de nosotras en señal de agradecimiento!

¡Esta manera de ver las cosas se la creían de verdad! Y por eso pensaban que tenían todo el derecho del mundo a molestar tanto como quisiesen al resto de los habitantes de la selva. Se paseaban por encima de todos los animales sin pedirles permiso, les picaban y les hacían cosquillas, y se metían por todas partes de una manera difícil de describir.

Por eso no le caían bien a nadie en toda aquella región, excepto a la rana Quintilia Cuajada, que vivía debajo de una piedra cubierta de musgo junto a la orilla. Pero la rana tenía excelentes motivos para verlas con buenos ojos; y es que contemplaba a los habitantes de la colonia desde el punto de vista de la calidad comestible.

Un día las moscas decidieron que demostrarían de una vez por todas al resto de los animales que eran los seres más poderosos, más hábiles, más inteligentes y más invencibles; en resumen, los seres más importantes del mundo entero.

Pero ¿cómo debían hacerlo? Prefirieron abandonar la idea de provocar un eclipse de sol, porque precisamente aquel día era jueves.

Los jueves, en particular, no eran adecuados para los eclipses de sol. Y como además estaban convencidas de que sin duda alguna podrían provocarlos si así lo querían, no les hacía ninguna falta llevarlo a cabo. Todas las moscas se sentían profundamente satisfechas con este razonamiento.

–Yo tengo un plan mucho mejor –exclamó un moscardón muy gordo que se había posado en la cima del montón de algas.

Por todas partes comenzó a escucharse un zumbido de expectación.

–Todos saben que somos los seres más importantes del mundo –continuó el moscardón–. Por tanto, como es lógico, también somos los mejores futbolistas del mundo. En primer lugar, podemos correr a una velocidad incomparable y efectuar regates sorprendentes. En segundo lugar...

Ahora alzó la voz y todas las moscas enmudecieron llenas de expectación. El orador prosiguió su discurso.

–...en segundo lugar, además, cada una de nosotras dispone de seis patas. Mis queridas moscas, moscardones y larvas, es evidente que un equipo de fútbol en el que cada jugador tiene seis patas es completamente invencible. ¡Formaríamos un equipo con un total de sesenta y seis patas! ¡Seguro que ganaríamos el campeonato del mundo! Por tanto, desafiaremos a todos los animales a jugar un partido de fútbol, ¡y ya veremos quién se atreve a aceptar el reto!

Se escuchó un sonoro zumbido de asentimiento y todas las moscas alzaron las patas delanteras con entusiasmo.

–Pero antes tenemos que fundar un comité –zumbó, emocionada, una mosca de un color verde irisado–, un comité que decida a quién tenemos que ganar primero, a quién después, y a quién le tocaría en el tercer, cuarto y quinto partido.

–Muy bien –dijo el moscardón gordo desde lo alto del montón de algas–, fundaremos un comité. ¿Quién quiere formar parte?

Todas las moscas comenzaron a gritar que querían formar parte del comité que tenía que tomar decisiones en unos asuntos tan importantes.

–Bien –zumbó el moscardón gordo que presidía la asamblea–. Queda formado el comité. Me nombro presidente por unanimidad. La consulta está abierta. Primera pregunta: ¿a quién queremos ganar en primer lugar?

Una inmensa excitación se apoderó de la tumultuosa reunión.

Todas las moscas zumbaban y revoloteaban como locas.

–Primero –dijo una mosca vieja y con canas, y a la que solo le quedaban cinco patas–, primero, quizá, deberíamos intentarlo con las hormigas; después, con los saltamontes, y después...

No pudo continuar, ya que la hicieron callar entre gritos y burlas.

–Querida mía –le dijo irónicamente un joven moscardón–, ¿y por qué no ha empezado por los caracoles y las lombrices?

–¡Basta! –gritó el presidente, encumbrado a lo alto del montón de algas–. Al fin y al cabo, somos demasiado importantes para ocuparnos de esta clase de tonterías. Si empezásemos con las hormigas, nos tendríamos que pasar por lo menos cien años jugando hasta haber acabado con todos los animales.

Es mejor que empecemos con un adversario un poco más digno de nosotras. Eso sería jugar limpio.

–¿Y si probásemos con la rana? –se atrevió a proponer la mosca de las canas que tan solo tenía cinco patas.

Por un instante reinó un silencio incómodo.

–Su propuesta ha sido rechazada –dijo el presidente con tono severo–. La rana no juega limpio. ¡Haga el favor de ahorrarse esta clase de comentarios inoportunos!

–Sugiero que venzamos primero a los cocodrilos –dijo el moscardón joven.

–¡No, primero a los monos! –exclamó otro.

Y entonces todos se pusieron a gritar a la vez:

–¡No, a los búfalos de agua! ¡No, a los rinocerontes! ¡No, a los tigres!

En aquel instante pasaba cerca del montón de algas malolientes el tigre, el barón Aníbal Garra Fuerte.

Tras arrugar la nariz al percibir la peste, se acercó a la orilla del río para beber un poco de agua.

–¡Eh, usted! –zumbó con impertinencia el arrogante moscardón joven volando hasta su nariz–. ¿Se atreve a jugar el campeonato del mundo de fútbol contra nosotros, eh?

Enfadado, el barón Aníbal Garra Fuerte se pasó una zarpa por la nariz para ahuyentar a la mosca molesta. Pero el moscardón era tozudo y, tras acercarse a su oreja, le dijo sin dejar de zumbar:

–¡Si se marcha, eso querrá decir que se rinde y que lo hemos vencido! ¡Ya lo sabe!

El tigre sacudió la cabeza y se pasó la zarpa por encima de la oreja atormentada. Por si no lo sabíais, los tigres tienen las orejas muy sensibles.

–¡Qué fastidio! –gruñó mientras se marchaba deprisa hacia el interior de la selva–. Hoy las moscas vuelven a estar muy pesadas. Seguro que se avecina tormenta.

–¿Habéis visto? –zumbó el moscardón joven cuando volvió al montón de algas podridas–. ¡No se atreve a enfrentarse a nosotros! ¡Se ha rendido antes de empezar! ¡El tigre ya está derrotado!

El jaleo que se armó ante tal noticia casi no se puede describir. Cuando por fin el numeroso comité se calmó un poco, se levantó la mosca de color verde irisado.

–Muy querido señor presidente, respetables miembros del comité –comenzó–. A buen seguro que esta victoria habrá convencido, a los últimos escépticos que pudiese haber entre nosotros, de que es imposible que nuestras aspiraciones sean demasiado ambiciosas a la hora de buscar entre los animales a un contrincante que se nos pueda comparar, al menos por su aspecto.

–¡Muy cierto, muy cierto! –gritó la audiencia.

–Así pues, hago una pregunta a los respetables miembros del comité. –Y la mosca de color verde levantó con elocuencia tres de sus seis patas–. ¿Cuál es nuestra característica exterior más importante?

El orador hizo una pausa muy bien pensada. El silencio reinaba sobre el montón de algas podridas. Un sinfín de ojos miraban expectantes a la mosca verde, que bajó con energía sus tres patas y exclamó:

–¡Es la trompa!

Y para demostrarlo, alargó su propia trompa tanto como pudo.

–Por tanto –concluyó–, el único adversario digno de nosotros es el elefante, aunque solo tenga cuatro patas y no seis.

Una ovación unánime y entusiasta confirmó la decisión de que Filemón Arrugado tenía que jugar el campeonato del mundo de fútbol contra las moscas.

Se envió una delegación con el fin de comunicar la decisión al elefante. Pero como Filemón no solo tenía una piel muy abundante, sino también muy gruesa, y además en aquellos momentos estaba ocupado con pensamientos completamente diferentes, ni se dio cuenta de la presencia de aquella delegación tan importante que se le puso encima y le comunicó el mensaje en varias partes del cuerpo al mismo tiempo.

Filemón parpadeó con sus ojos pequeños y amables, se abanicó con las orejas y sacudió la cabeza como solía hacer. Pero la delegación lo interpretó como una señal de consentimiento y, muy satisfecha, volvió volando al montón de algas.

Mientras tanto, el resto de los miembros del comité había encargado a un escarabajo pelotero la fabricación de un balón de fútbol especialmente resistente.

El escarabajo formó una bola de estiércol muy fuerte y bonita, como solía hacerlas siempre, la llevó rodando a los pies del comité y siguió su camino. Hacer bolas con estiércol era su oficio y no le importó hacer una más. Lo demás no le interesaba en absoluto.

Entonces, el comité escogió a once moscardones jóvenes y robustos que supiesen correr y regatear muy deprisa. Era la selección nacional del MAP (Montón de Algas Podridas).

Después, el numeroso grupo se dirigió hacia donde estaba Filemón Arrugado para dibujar el campo de fútbol y las porterías en la arena del río, delante de sus patas delanteras, enormes como columnas. Para el elefante, sin duda, se trataba de un campo pequeño. Quizá lo habría hecho sonreír si se hubiese dado cuenta. Pero estaba ocupado pensando en otras cosas completamente distintas y no se dio cuenta de nada.

La selección nacional saltó al campo y los espectadores ocuparon sus lugares, unos en el suelo alrededor del campo, y otros sobre Filemón Arrugado, lo cual no estaba del todo permitido, ya que él debía jugar. Pero, como nadie protestó, allí se quedaron todos bien sentados.

El partido comenzó.

Una gran tensión se propagó entre los espectadores. Al fin y al cabo se trataba de demostrar su superioridad y no todos estaban completamente seguros de ganar.

El delantero centro hizo rodar la bola de estiércol hacia delante, la pasó al extremo derecho, y este la lanzó a través del campo hacia el extremo izquierdo, el cual, en un espléndido avance en solitario, se plantó delante de la portería del elefante situada en medio de sus patas delanteras, inmensas como columnas.

Los espectadores contuvieron la respiración. El extremo izquierdo regateó buscando la posición de disparo y chutó.

–¡Gol!

Minutos después llegó el segundo gol, y el tercero y el cuarto. Los espectadores se sen-

tían extasiados por la victoria y estaban fuera de sí de la emoción.

Filemón Arrugado, en cambio, todavía no se había dado cuenta de que estaba a punto de perder el campeonato del mundo de fútbol. Seguía pensando en cosas completamente diferentes. Ensimismado, cogió un poco de arena con la trompa y se la roció por la cabeza.

Por esto fue amonestado seriamente por el presidente del comité de las moscas, que también ejercía de árbitro; porque había cogido la arena de su parte del campo y no era justo competir con tales métodos. Pero Filemón Arrugado tampoco se enteró de la amonestación.

Y así continuó el partido.

Ciertamente, no hace falta describir con detalle cómo transcurrió el partido. Será suficiente si digo que el resultado fue de 108 a 0 a favor del MAP. ¡Una victoria verdaderamente sensacional! Superó incluso las expectativas más atrevidas del comité. Desde el principio habían sabido que eran superiores frente a cualquier adversario, pero incluso ellas se sentían sorprendidas al comprobar que tal superioridad era tan grande. El regreso al montón de algas podridas fue una marcha triunfal. Los jugadores de la selección nacional del MAP se convirtieron en los héroes del día.

Por la tarde, sin embargo, los festejos sufrieron una desagradable interrupción. El cielo se fue cubriendo de nubes y comenzó a llover torrencialmente, como suele pasar en la selva india. El barón Aníbal Garra Fuerte había acertado en su pronóstico.

Los animales del vecindario se acercaron a Filemón Arrugado y se resguardaron bajo sus patas, grandes como columnas. Las aguas del río sagrado se desbordaron y arrastraron el amasijo de algas podridas junto con el comité y la selección nacional. ¿Hacia dónde? Nadie se preocupó de averiguarlo y, probablemente, no importa.

Después dejó de llover y el cielo aterciopelado de la noche india volvió a reflejarse en las aguas que discurrían tranquilas.

Filemón Arrugado, que todavía no se había dado cuenta de la gran derrota que había sufrido, parpadeó con sus ojos pequeños y amables, balanceó su poderosa cabeza y pensó emocionado: ¡la luna!

No pensó en nada más. Simplemente: ¡la luna!

Y era un pensamiento muy muy grande.

NORBERTO NUCAGORDA
O
EL RINOCERONTE DESNUDO

Había una vez un rinoceronte que se llamaba Norberto Nucagorda. Vivía en medio de la gran sabana africana, cerca de un cenagal fangoso, y era muy desconfiado. Bueno, ya se sabe que todos los rinocerontes son desconfiados, pero en el caso de Norberto la cosa ya pasaba de castaño oscuro.

–Es buena idea –solía decirse a sí mismo– ver a todos los demás animales como si fuesen tus enemigos. De ese modo no puedes llevarte sorpresas desagradables. En el único en quien puedo confiar es en mí mismo. Esta es mi filosofía.

Estaba orgulloso de tener incluso su propia filosofía, porque ni siquiera en este punto quería fiarse de nadie.

Como puede verse, Norberto Nucagorda no tenía muchas ambiciones desde el punto de vista intelectual. En cambio, en su aspecto físico era prácticamente invulnerable. Tenía una placa blindada a la izquierda y otra a la derecha, una delante y otra detrás, una arriba y otra abajo. En resumen, todo su imponente cuerpo estaba blindado. Y como arma no le bastaba con tener un solo cuerno en la nariz, como tenía la mayoría de los de su especie, sino que él tenía dos: uno muy grande delante del todo y otro más pequeño detrás, de reserva, por si alguna vez no tenía suficiente con el grande. Los dos eran afilados y punzantes como cimitarras.

–Es buena idea –solía decir Norberto Nucagorda– estar siempre preparado para lo peor.

Cuando caminaba pesadamente por donde siempre solía hacerlo a través de la sabana, todos se apartaban de su camino. Los animales más pequeños le tenían miedo, y los grandes preferían evitarlo. Incluso los elefantes hechos y derechos lo hacían, porque Norberto era muy irascible y armaba un alboroto por cualquier tontería. Y cada día que pasaba era peor. Hasta que llegó el momento en que el resto de los animales comenzó a correr peligro de muerte cada vez que se acercaba al agua del cenagal para beber. Los cachorros ya no podían jugar ni bañarse allí, y ni siquiera los pájaros podían cantar porque inmediatamente llegaba Norberto Nucagorda hecho un basilisco y lo pateaba todo gritando que lo estaban atacando.

Pero las cosas no podían seguir así y en eso todos estaban de acuerdo. De modo que los animales convocaron una reunión para discutir qué se podía hacer. Y, para que realmente todos pudiesen participar en la asamblea, prometieron solemnemente que se comportarían de forma pacífica, ya que, como es de suponer, entre ellos había muchos que no eran precisamente amigos.

Así pues, la noche señalada se reunieron en un pequeño valle que se hallaba a unas cuantas millas de distancia para poder hablar con tranquilidad sin que Norberto Nucagorda los molestase.

El león Ricardo Garganta de Fuego, que había sido elegido presidente de la reunión, se subió a un peñasco y gritó «¡Silencio!» en medio de los mugidos, berreos, trinos y graznidos generales.

Inmediatamente, todos callaron.

–No me andaré con rodeos –dijo el león, pues aborrecía los discursos largos–. Todos sabéis por qué estamos aquí. ¿Quién tiene alguna propuesta que hacer?

–¡Yo! –gruñó el jabalí Bertoldo Cerdoso.

–¡Habla! –rugió Ricardo Garganta de Fuego.

–Es muy sencillo –propuso el jabalí–, nos juntamos todos y nos abalanzamos a la vez sobre el rinoceronte. En un abrir y cerrar de ojos lo dejamos más aplastado que una tortilla, después lo enterramos y así todos volveremos a vivir en paz.

–¡Disculpe, querido! –dijo una elefanta de cierta edad–. ¡Discúlpeme, pero ese plan muestra una gran falta de dignidad! ¡Todos contra uno!

Aída Trompafina, que era como se llamaba aquella elefanta de buena familia, se abanicó con sus enormes orejas completamente indignada.

–En nombre de la dignidad de los animales, manifiesto mi rechazo a la propuesta del señor Cerdoso. Desde el punto de vista moral es reprobable y vil.

–¡Cómo! –exclamó enfadado el jabalí–. Norberto Nucagorda también es vil. Por eso hay que tratarlo de la misma manera.

–Yo no quisiera caer tan bajo –replicó con dignidad Aída Trompafina–. ¡Usted, señor Cerdoso, no tiene clase! Y además, Norberto Nucagorda no permitirá que lo dejemos más aplastado que una tortilla, como usted ha dicho. Sin duda, se defenderá y antes aplastará a alguno de los respetables animales aquí presentes, o lo ensartará con su cuerno.

–Bueno –gruñó Bertoldo Cerdoso–, siempre hay que pensar que puede haber víctimas.

–¡El que quiera ser una de esas víctimas –continuó Aída Trompafina–, que dé un paso al frente!

Nadie dio un paso al frente, ni siquiera Bertoldo Cerdoso.

La señora elefanta asintió de manera significativa y tan solo dijo:

–¡Ahí lo tienen!

–La propuesta de Bertoldo Cerdoso ha sido rechazada –rugió el león–. ¡El siguiente, por favor!

Entonces se adelantó un viejo marabú, que mostraba una calva que ya parecía enmohecida de tanto pensar. Se trataba del profesor Eusebio Perforalodos.

El marabú, muy tieso, hizo reverencias en todas las direcciones y dijo:

–¡Queridos asistentes, señoras y señores! ¡Ejem! Según mi opinión absolutamente autorizada, el problema que nos ocupa tan solo puede ser resuelto de manera pathomelanzánica. ¡Ejem! Como mencioné en mi mundialmente famosa publicación sobre la acifoplasis cataclíctica de los escleptomios debrófilos...

Un suspiro recorrió el auditorio, ya que todos sabían de sobra que el profesor Perforalodos siempre hablaba mucho y nunca se le entendía nada de nada, no solo porque hablase con una voz ronca, sino, sobre todo, por la manera altamente científica que tenía de expresarse.

–Así pues, voy a resumir –concluyó después de haber transcurrido un tiempo considerable–. El caso de Norberto Nucagorda es una clara pysimulación concretamente urebolana de la énfasis kaurepathomalística que, sin duda, se puede simbotormir mediante comunicación semántica o incluso extrospinatizar por completo.

A continuación hizo una reverencia a la espera de los aplausos, pero se quedó con las ganas.

–Muy interesante, querido profesor –dijo Ricardo Garganta de Fuego, mientras se tapaba la boca con la zarpa intentando esconder un bostezo–, muy interesante, ¿pero podría explicarnos con unas palabras más sencillas, a los que somos profanos en la materia, qué es lo que tenemos que hacer?

–Bueno, vaya... ¡Ejem! Eso resulta complicado –vaciló el marabú, incómodo, mientras se rascaba con una garra su enmohecida calva–. Lo que he expuesto es que... ¡Ejem!... Por decirlo de manera comprensible...

¡Ejem!... Pues que tendríamos que intentar hablar con el rinoceronte por las buenas, que tendríamos que explicarle amablemente..., ¡ejem!..., cómo se siente de desgraciado por ser como es.

–¡Inténtelo usted! –exclamó la hiena Greta Horripilante mientras reía.

–Mi vida –dijo el profesor en tono recriminatorio– está consagrada a la pura investigación. Como es natural, ¡ejem!, la puesta en práctica se la dejo a otros.

Así pues, también esta propuesta fue rechazada. El profesor Eusebio Perforalodos se encogió de hombros, batió ofendido las alas y volvió a su sitio pavoneándose sobre sus delgadas patas.

Entonces pidió la palabra un topo que iba acompañado de su numerosa familia y se llamaba Hércules Alehop.

–¿Qué os parece si le cavamos una trampa? –dijo rechinando los dientes–. El rinoceronte caería dentro y tendría que quedarse allí hasta volverse negro o hasta convertirse en mejor persona.

–Hum... –masculló el león–. ¿Y dónde cavaríais la trampa?

Hércules Alehop se escupió las patas con gesto emprendedor y dijo:

–Pues por donde el tipo se pasea diariamente, claro. Es un animal de costumbres y siempre va por el mismo camino.

–¿Y cuánto tiempo necesitaríais para excavar una trampa en la que cupiese el rinoceronte? –preguntó Ricardo Garganta de Fuego en tono amable.

Hércules Alehop se lo pensó un poco y contestó:

–Unos diez días, o quizá más.

De nuevo, la hiena Greta Horripilante soltó una de sus desagradables risotadas y exclamó:

–¿Y creéis que, mientras tanto, Norberto se quedará de brazos cruzados mirando tranquilamente? ¡Os ensartará con su cuerno u os aplastará con sus patas! ¡Eso es lo que hará! Nunca caerá en vuestra trampa. Ni siquiera él es tan estúpido.

Ricardo Garganta de Fuego sonrió con tristeza, hizo un gesto de desaprobación con su zarpa y Hércules Alehop se retiró cabizbajo.

A continuación se presentaron una docena más de propuestas de otros animales, pero analizadas con detenimiento se comprobó que ninguna de ellas podía llevarse realmente a cabo. Y un desconcertante silencio se cernió sobre toda la asamblea.

Entonces, se adelantó la gacela Dolores Asustadiza, miró a los presentes con ojos lacrimosos y dijo en voz baja:

–Así pues, tan solo nos queda una cosa que hacer: ¡recoger nuestros bártulos y marcharnos a vivir a otro lugar donde estemos a salvo de Norberto Nucagorda!

–¿Huir? –rugió Ricardo Garganta de Fuego, lanzando a la pobre Dolores una mirada tan furiosa que esta casi se desmaya–. ¡Ni hablar!

Apenas dijo esto, se oyó a lo lejos un extraño ruido que se acercaba deprisa, como un bufido, o un gruñido, como un estampido o un estruendo que hacía temblar la tierra como si un terremoto se acercase cada vez más a la asamblea. Y por fin retumbó el bramido encolerizado de Norberto Nucagorda:

–¡Atajo de tramposos! ¡Ahora sí que os he pillado! ¿Tan estúpido creéis que soy? ¿Pensáis que no me he dado cuenta de que tramáis a mis espaldas un plan para atacarme? ¡Pero tendríais que haber sido más listos! ¡Ahora os enseñaré de una vez por todas qué pasa cuando me provocan! ¡Menuda escabechina voy a hacer!

Gracias a Dios, Norberto no pudo llevar a cabo su amenaza, pues cuando llegó al fondo del valle, ya no quedaba en él ni un solo animal. Incluso el león prefirió escapar de allí a todo correr. Para aplacar su ira, el rinoceronte tuvo que conformarse con destrozar algunos árboles, hasta dejarlos convertidos en astillas más finas que cerillas. Después regresó trotando a casa a través de la sabana iluminada por la luna, sin dejar de rugir en todas direcciones:

–¡Ay de aquel al que vuelva a ver por aquí! ¡Se me ha agotado la paciencia! ¡Haré picadillo a todo el que pille! ¡Enteraos bien, atajo de cobardes y tramposos!

Aquellas palabras impresionaron profundamente a todos los que las oyeron, pues nadie dudaba de que el rinoceronte cumpliría su promesa. Se le podían atribuir muchos defectos, pero no podía decirse que no fuese consecuente.

Muchos animales, sobre todo los mansos y más indefensos, acabaron por dar la razón a la gacela Dolores, y aquella misma noche se marcharon con sus familias a otros lugares en los que hallarse a salvo de Norberto Nucagorda. Se corrió rápidamente la voz y otros muchos animales decidieron marcharse también, y cuantos más lo hacían, más miedo tenían los que se quedaban. Hasta Ricardo

Garganta de Fuego acabó por decirse que ni siquiera él estaba en condiciones de enfrentarse al furioso rinoceronte y, finalmente, una noche, emprendió el viaje con su esposa y sus tres hijos.

Hasta que ya no quedó nadie. Excepto Norberto Nucagorda. Y alguien más.

Sin embargo, ese alguien estaba muy acostumbrado a que nadie se fijase en él; en primer lugar, porque era muy pequeño, y en segundo, porque ejercía un oficio que todos consideraban útil y agradable, pero, por otra parte, tan poco delicado que ni siquiera valía la pena mencionarlo.

Se trataba de Carlitos Picopico, un picabuey. Era un pajarillo muy desvergonzado con un pico de un color rojo chillón. Vivía paseándose sobre búfalos, elefantes e hipopótamos, comiéndose todos los bichejos que tuviesen encima.

Por eso Carlitos Picopico seguía allí. No le tenía miedo alguno a Norberto Nucagorda, ya que era demasiado pequeño y demasiado ágil para que el rinoceronte pudiese hacerle ningún daño. Pero le indignaba que Norberto hubiese obligado a marcharse a toda su clientela, y por tal motivo ingenió un plan para acabar con el problema del rinoceronte a su manera.

Fue volando hacia él, se posó sobre el gran cuerno delantero que tenía en la nariz, afiló en él su desvergonzado pico y gorjeó:

–¿Qué, cómo se siente uno cuando ha ganado?

Norberto entornó los ojos y gruñó:

–¡Fuera de aquí! ¡Exijo que se me trate con respeto! ¡Lárgate inmediatamente!

–Tranquilo, tranquilo –dijo Carlitos–. Así que ahora te has convertido en el único dueño y señor, ¿eh, Norberto? Sin duda has conseguido una gran victoria. ¿Pero no te falta algo todavía?

–No, que yo sepa –gruñó Norberto.

–Claro que sí –continuó Carlitos–, te falta lo que todo vencedor y soberano necesariamente debe tener: un monumento.

–¿Un qué? –preguntó Norberto.

–¿No sabías –gorjeó Carlitos– que ningún vencedor ni soberano es verdaderamente un vencedor y soberano si no tiene su monumento? Por eso, por todo el mundo se erigen monumentos a las personalidades que son tan importantes como tú. Y tú también tendrías que hacerte uno.

Norberto guardó silencio, con los ojos adormilados, como hacía siempre que reflexionaba profundamente. Sin duda, aquel pájaro tenía razón. Él, Norberto Nucagorda, era vencedor y soberano, y, sobre todo, una personalidad importante. Así que también quería tener un monumento.

–¿Y de dónde se saca algo así? –preguntó al cabo de un buen rato.

Carlitos Picopico se envaneció.

–Bueno, en tu caso es bastante difícil porque, por desgracia, ya no queda nadie que te pueda erigir uno. Tienes que hacértelo tú mismo.

–¿Y cómo? –quiso saber Norberto.

–En primer lugar, tiene que parecerse lo más posible a ti –dijo Carlitos–, para que se vea claramente a quién está dedicado el monumento. ¿Sabes tallarte a ti mismo en madera o esculpirte en piedra?

–No –admitió Norberto–, no sé.

–¡Lástima! –dijo Carlitos–. Entonces, no podrás tener ningún monumento.

–Pero yo quiero uno –gruñó furioso Norberto–. ¡Haz el favor de pensar cómo hacerlo!

Carlitos disimuló como si reflexionase profundamente mientras paseaba arriba y abajo por la cabeza de Norberto con las alas recogidas a la espalda.

–Puede que haya una posibilidad –dijo finalmente–, pero creo que sería demasiado agotador para ti.

–Para mí no hay nada demasiado agotador –resopló Norberto con impaciencia–. ¡Así que, venga, de qué se trata!

–Tú mismo tienes que ser tu propio monumento –dijo Carlitos.

–Ah, vaya –gruñó Norberto, y de nuevo se quedó en silencio y con los ojos adormilados.

Tardó un buen rato en comprender la propuesta de Carlitos, pero le acabó gustando. Incluso se puso de buen humor.

–¿Entonces, qué tengo que hacer? –preguntó.

–Tienes que subirte a un alto pedestal para que se te pueda ver desde muy lejos –explicó Carlitos–. Y después tienes que quedarte quieto como si fueses una estatua de bronce, ¿entiendes?

–Pues claro –gruñó Norberto y se puso a trotar.

No muy lejos de allí había una gran roca en medio de la sabana. Norberto se subió y adoptó una pose.

Carlitos lo observó por todos lados a cierta distancia.

–Sube un poco más la pata trasera izquierda –le dijo–. ¡Así está bien! Debes mirar a lo lejos con el gesto orgulloso de un triunfador.

–Pero es que soy miope –refunfuñó Norberto.

–Entonces basta con que mires hacia el futuro –replicó Carlitos–. Además, eso da igual, un monumento no está hecho para mirar, sino para que lo miren. Así estás fabuloso. Tienes un aspecto imponente. ¡Quieto! ¡No te muevas más!

De nuevo voló hacia Norberto y se posó sobre su gran cuerno.

–Ahora ya tienes todo lo que necesita un soberano –le dijo–, incluso un auténtico monumento, ¡y menudo monumento! Serás la envidia de todos. Todas las generaciones venideras alzarán los ojos para admirarte y pronunciarán tu nombre con respeto, ¡Norberto Nucagorda! Naturalmente, siempre que tú o tu monumento no seáis derrocados, aunque ambas cosas vendrían a ser lo mismo.

Como el rinoceronte ya no podía moverse, miró de reojo a Carlitos Picopico y, sin mover los labios, murmuró:

–¿Qué significa eso?

–Bueno –gorjeó alegremente Carlitos–, a veces sucede que un soberano es derrocado, por ejemplo, a causa de una revolución. Y si un soberano es derrocado, como es lógico, también lo es su monumento. Porque si alguien derribase el monumento de un soberano que no ha sido derrocado, el individuo en cuestión, naturalmente, iría a parar a la cárcel o sería ejecutado. A no ser que consiguiese huir a tiempo.

–Espera un momento –dijo Norberto–. Explícame eso.

–Bah –dijo Carlitos como de pasada–. No te preocupes por eso, gordito. ¿Quién podría derrocarte a ti? O derribar tu monumento, cosa que, como he dicho, sería lo mismo. Salvo que seas tú el que te derroques a ti mismo.

–¿Y eso? –preguntó Norberto, confundido–. ¿Cómo es eso de que yo me derroque a mí mismo?

–Por ejemplo –contestó Carlitos–, si bajas del pedestal, habrás derribado tu monumento. Entonces, puede que sigas siendo un soberano o que ya no lo seas. Si te has derrocado a ti mismo como soberano, tendrás que ejecutarte, pues eso es lo normal en cualquier revolución. Pero, si solo has derribado tu propio monumento, tendrás que ejecutarte también porque seguirás siendo el soberano, a no ser que huyas a tiempo antes de que puedas apresarte a ti mismo. Está clarísimo, ¿no?

–¡Maldita sea! –murmuró Norberto–. No me imaginaba que fuese tan complicado.

–Sí, claro –dijo Carlitos–, por eso solo las personalidades más importantes tienen monumentos. Pero ahora tendrás tiempo de sobra para reflexionar a fondo sobre todo esto. ¡Adiós, gordito! Yo también me voy a otro país en el que pueda ejercer mi oficio con mejores expectativas, porque, a solas contigo, creo que pasaré mucha hambre.

Dicho lo cual, el pájaro echó a volar y su gorjeo sonó más bien como una carcajada.

En cambio, Norberto Nucagorda se quedó allí quieto, convertido en su propio monumento, y sin atreverse a mover un dedo.

Llegó el crepúsculo,
llegó la luz de la luna,
llegó la aurora
y llegó el calor del mediodía.

Norberto seguía allí como una estatua de bronce, mirando orgulloso y triunfal hacia el futuro, a pesar de ser miope. Se sentía satisfecho de tener su monumento.

Y así pasó muchos días y muchas noches, adormilado. Hubiera dado cualquier cosa por verse a sí mismo, ya que no había nadie más que pudiese admirarlo. ¡Estaba seguro de mostrar una imagen verdaderamente impresionante!

Pero poco a poco le fue entrando hambre, un hambre feroz, un hambre insoportable.

«¿Y si me bajo un momento –pensó– y cojo un bocado de hierba? Nadie me verá».

Y en ese momento sintió un gran miedo de sí mismo. Eso que acababa de pensar significaba que derribaba su propio monumento, o mejor dicho, que se derrocaba a sí mismo como soberano. ¿O cómo era aquello? Se puso a pensar.

Llegó el crepúsculo,
llegó la luz de la luna,
llegó la aurora
y llegó el calor del mediodía.

Norberto seguía allí, de pie, intentando ordenar sus ideas.

Si bajaba del pedestal, se derrocaba a sí mismo, eso era indiscutible. Y si se derrocaba y dejaba de ser un monumento, como soberano estaba obligado a cogerse preso y a ejecutarse a sí mismo.

A no ser que huyese a tiempo antes de que, como soberano, él mismo se diese cuenta. Pero eso no era así. Si se derrocaba como soberano, entonces, como revolucionario tendría que huir de sí mismo, porque de lo contrario tendría que encarcelarse y ejecutarse él mismo. Pero ¿podría huir de él mismo sin darse cuenta? Eso tampoco podía ser así. Por tanto, en cualquier caso tenía que quedarse allí de pie, sin moverse, porque, si no, de una manera o de otra, ocurriría una desgracia.

Pero como aquella decisión no mitigaba lo más mínimo el hambre tan espantosa que tenía, Norberto Nucagorda comenzó a desconfiar cada vez más, a desconfiar de sí mismo. ¿Resultaría al final que incluso él mismo era su peor enemigo y no se había dado cuenta hasta ahora? Por si acaso, tomó la firme decisión de vigilarse atentamente y no perderse de vista ni un segundo, ni siquiera mientras dormía.

¡Bien que se encargaría de vigilarse a sí mismo!

Realmente, a Norberto Nucagorda se le podían atribuir muchos defectos, pero no podía decirse que no fuese consecuente.

Pero toda aquella vigilancia sobre sí mismo no pudo impedir que, a medida que pasaba el tiempo, se fuese quedando cada vez más flaco y poco a poco se encogiese dentro de su poderosa coraza.

Hasta que una noche –muy oscura, por cierto, porque el cielo estaba completamente cubierto de nubes negras y amenazaba tormenta– Norberto Nucagorda ya se había quedado tan flaco y tan pequeño, y además se sentía tan cansado y débil, que, sencillamente, ya no le quedaron fuerzas para seguir de pie. Se dejó caer al suelo, pero, mira tú por dónde, ¡la coraza se quedó en su sitio sobre el pedestal!

Norberto, o lo que quedaba de él, se escurrió por debajo de la poderosa armadura y salió rodando roca abajo. Se hizo bastante daño durante la caída, ya que, sin coraza, la piel de Norberto estaba desnuda y era blanda como la de un lechón. Aun así, se alegró de lo ocurrido, pues de este modo su monumento seguía en pie y él podría comer.

«¡Lástima que esté tan oscuro! –se dijo a sí

mismo–. Me gustaría ver qué aspecto tengo subido allá arriba».

En ese instante brilló el primer relámpago de la tormenta y, por un momento, toda la sabana quedó iluminada como si fuera de día. Y Norberto pudo ver sobre la roca algo que jamás había visto, pues en la sabana africana no hay espejos. ¡Verdaderamente vio a su peor enemigo!

–¡Socorro! –gritó despavorido.

Y, olvidándose de que tenía hambre y de que estaba cansado, huyó de allí corriendo tan deprisa como le permitieron sus débiles patas, desnudo como estaba, a través de la sabana, a través del desierto, a través de la selva, porque también él, al igual que los otros animales, quería llegar a un país en el que se encontrase a salvo de sí mismo.

¿Qué fue de él? ¡Quién sabe!

Tal vez siga corriendo aún a través del mundo, o tal vez haya encontrado finalmente el país que buscaba y haya comenzado una nueva vida. Una vida sin coraza. Si algún día os encontráis con un rinoceronte desnudo, podéis preguntarle.

Lo único que queda por contar es que, con el paso del tiempo, los demás animales regresaron poco a poco, una vez que corrió la voz de que el monumento estaba hueco.

Por cierto, no fue derribado. Lo dejaron allí, en pie, para todas las generaciones venideras... como advertencia.

Índice